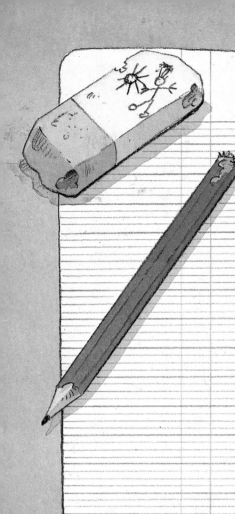

À L'AVENTURE !

Vous êtes Bastien, un garçon de CE2. Aujourd'hui, pour la première fois, votre maman vous a confié les clés de la maison. Vous pourrez rentrer tout seul après la classe, on vous fait confiance !

C'est également aujourd'hui que vous allez faire la connaissance du nouvel instituteur : votre maîtresse part en congé de maternité, et son remplaçant va travailler avec vous pendant plusieurs mois.

Vous avez jeté un œil sur le calendrier : c'est le 1er avril, une journée consacrée aux farces… Hélas, Barnabé et sa bande, vos adversaires acharnés, ont juré de vous faire passer un mauvais moment. Ils veulent mettre à profit cette journée particulière, alors que le nouveau maître découvre l'école, pour vous jouer de méchants tours à leur manière !

Vous avez perdu vos clés, à peine arrivé à l'école. Vous n'auriez pas dû les accrocher à votre cartable, au vu et au su de tous…

Il vous reste toute la journée pour retrouver votre précieux trousseau. Il vous faudra également déjouer les pièges tendus par Barnabé et sa bande, en agissant discrètement pour ne pas vous faire prendre par le maître ou le directeur : il serait délicat de vous disculper alors !

C'est une journée d'école bien mouvementée qui vous attend…

Souvenez-vous : quoi qu'il arrive, vous ne pouvez revenir en arrière, à moins d'y être expressément invité.

Bonne chance !

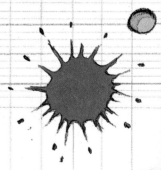

Texte original : Jean-Luc Bizien. Illustrations : Gilles Bonotaux.
Secrétariat d'édition : Jérémie Salinger
© 2000 Éditions Gründ, Paris
ISBN : 2-7000-3751-0. Dépôt légal : mars 2000
PAO : Liani Copyright, Paris (texte en Clearface)
Photogravure : Montibus et fils. Imprimé en France par Hérissey
Loi n° 49-956 du 16 juillet 1949 sur les
publications destinées à la jeunesse.

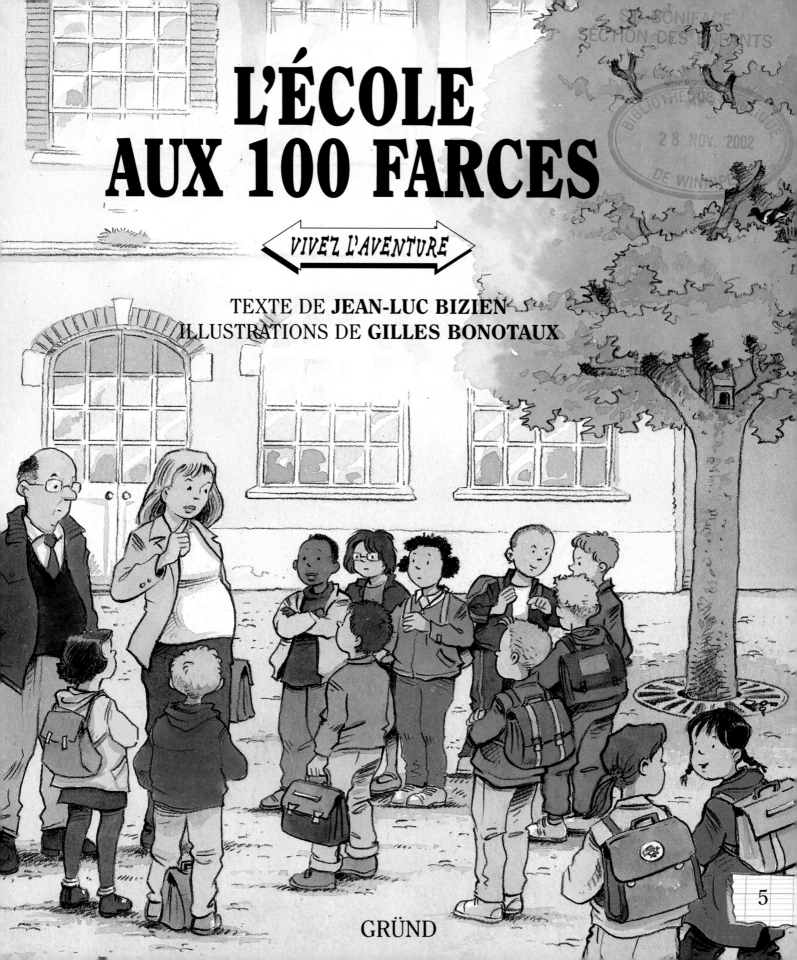

L'ÉCOLE AUX 100 FARCES

VIVEZ L'AVENTURE

TEXTE DE **JEAN-LUC BIZIEN**
ILLUSTRATIONS DE **GILLES BONOTAUX**

GRÜND

La cloche a sonné l'heure d'aller en classe. Quatre élèves se sont glissés dans les mauvaises files. Ils ont chacun leur jumeau dans leur classe d'origine. Pour les retrouver, vous devez savoir que le jumeau qui est correctement rangé a gardé son cartable sur le dos. Amusez-vous à les repérer et adressez-leur un clin d'œil à chacun quand vous les aurez localisés. Ensuite, rendez-vous page 44.

7

Vous venez de découvrir un texte bien étrange… Il doit s'agir d'un message codé !
Si vous parvenez à en trouver la signification, vous serez probablement sauvé. Vous vous concentrez. Peut-être les mots ne sont-ils pas à lire en entier ? Prenez votre temps :
si vous déchiffrez le message, rendez-vous page 36.

Dans le cas contraire, il faudra retourner page 6 et commencer une nouvelle aventure.

Programme des bêtises de la journée :
ONZE VALISES
FAIBLE RETARD
ACCIDENT USINE ERREUR
BASSE-COUR, TIEN

Vous voici parvenu à l'entrée de la salle d'arts plastiques. Le désordre inhabituel qui y règne vous surprend. Entrez vérifier que vos clés n'y sont pas cachées quelque part, mais restez sur vos gardes car des mauvais plaisants vous ont préparé quelques tours à leur façon. Ils sont cinq. Si vous les identifiez tous, ils n'oseront pas s'en prendre à vous.

Retournez ensuite en classe, page 34.

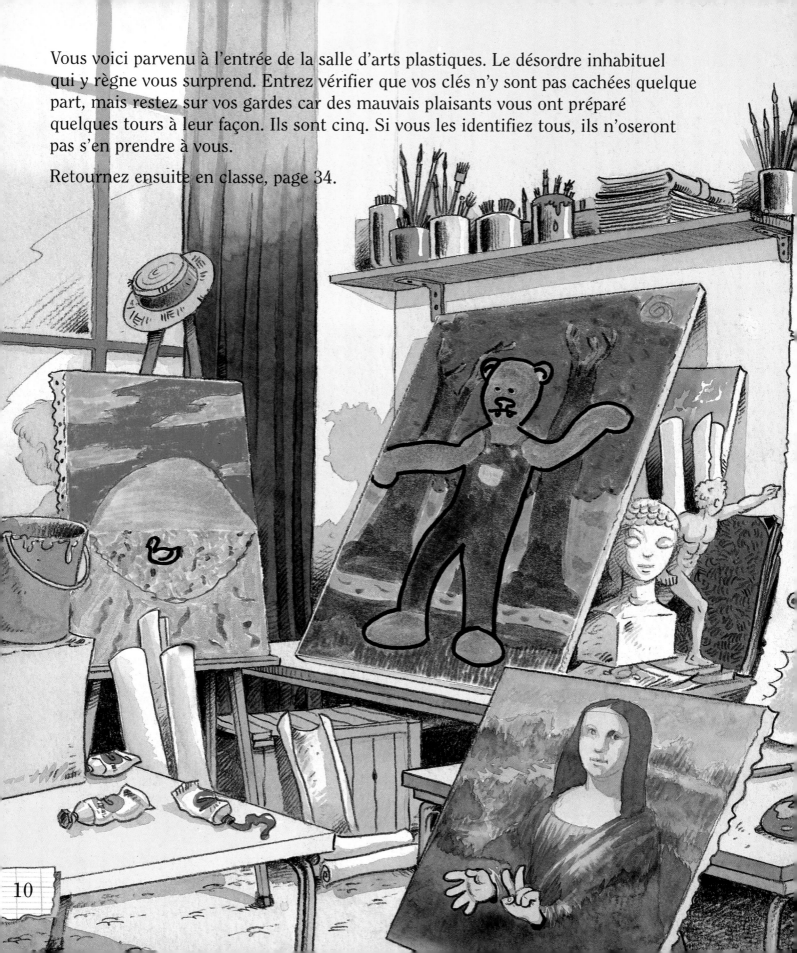

10

11

Hélas ! Les apparences sont contre vous !
Vous voilà dans le bureau du directeur, où vous allez sûrement
être puni pour des bêtises dont vous n'êtes pas responsable…

Afin de pouvoir retourner page 6 et commencer une nouvelle
aventure, trouvez la solution de la charade laissée par les autres
élèves de la classe. Sans doute contient-elle une indication utile
pour la réussite de votre quête.

Horreur ! On s'est amusé avec toutes les canalisations de la salle d'eau ! De plus, une vanne a été mal fermée.

Avant de toucher à quoi que ce soit, trouvez-la et fermez-la complètement afin de couper l'eau. Ensuite, réparez les tuyaux qui peuvent l'être en replaçant les embouts colorés aux bons endroits.

Quand vous aurez fini, trouvez un seau, un balai et une serpillière et dépêchez-vous d'agir. Sinon, on va croire que vous êtes responsable de cette catastrophe !

Ensuite, rejoignez vite les autres enfants à la page 30.

Si vous préférez aller chercher le maître, rendez-vous page 12.

15

Vous avez fait vite, vous voilà déjà au bord du bassin. Il n'y a plus qu'à attendre les derniers élèves qui arrivent avec le maître.

Avant votre arrivée, les élèves de la classe précédente vous ont préparé quelques plaisanteries douteuses. Observez avec soin le bassin et ses alentours, vous ne manquerez pas de les remarquer : il y en a sept.

Vous pouvez les montrer au maître, quand il arrivera : rendez-vous alors page 12. Si vous préférez agir discrètement, signalez-les rapidement aux maîtres nageurs, qui vous en seront reconnaissants.

À l'issue de la séance, vous irez directement à la cantine, page 28.

HOMMES FEMMES

2 m

17

18

L'heure de partir pour la piscine est venue. C'est un des moments que vous préférez ! Pour éviter de vous faire remarquer pendant le voyage, arrangez-vous pour vous asseoir à côté d'un enfant sage, qui n'a préparé ni bêtise, ni mauvaise plaisanterie !

Rendez-vous alors page 16.

Pendant que le maître écrit au tableau, les enfants s'amusent à se passer des messages. Vous venez d'intercepter le papier de Barnabé, votre pire ennemi !

Au premier coup d'œil, vous ne remarquez rien de bien important, si ce n'est que vous êtes cité… Il doit s'agir d'un message codé. Tâchez d'en trouver le sens véritable avant que sonne l'heure de la récréation.

Ensuite, vous aurez le choix : en prenant la porte de droite, rendez-vous page 30. Si vous préférez celle de gauche, allez page 14.

À midi, j'aimerais bien manger de la crème au caramel. Et à la récréation,

on pourrait jouer au foot ou à saute-mouton

Tous ensemble …

Sur l'herbe, on s'amusera bien.

Bastien est invité aussi, bien entendu.

Vous avez fait le bon choix : on a voulu jouer au hamster
un tour cruel. Quelqu'un a glissé une tapette à ses côtés !
Si vous ne voulez pas prendre de risques, allez chercher
le maître. Rendez-vous page 12.

Dans le cas contraire, trouvez vite dans la cage le moyen de
déclencher le piège pendant que le hamster dort. Mais prenez
garde de ne surtout pas réveiller le petit animal : surpris,
il ne manquerait pas de se précipiter sur la tapette !

Quand cela sera fait, pensez à remettre en ordre sa cage :
on a fait deux autres plaisanteries à ce malheureux hamster.
Rendez-vous page 34.

Vous arrivez le premier dans la classe. Cette nuit, les trois animaux ont été libérés de leurs cages. Si le lapin est parfois laissé en liberté dans la salle, les deux autres restent enfermés. Ne perdez pas de temps : repérez les dégâts de chacun et suivez-les à la trace. Retrouvez-les et replacez-les dans leur habitat habituel. Assurez-vous enfin qu'ils n'en ressortiront pas aussitôt.

Quand ce sera fait, rejoignez vite les autres élèves et le maître : on part à la piscine ! Rendez-vous page 18.

Cette fois, des élèves de plusieurs classes ont dû se donner le mot : ils ont réuni tous les animaux dans un même espace, sans se préoccuper de leur bien-être !

L'occupant habituel de ce vivarium est un célibataire. Les autres vivent en couple, certains ont peut-être même des petits. Réunissez-les deux à deux, et replacez-les dans leurs habitats respectifs. Prenez bien garde de ne pas en oublier : ces animaux s'accommodent rarement les uns des autres.

Quand vous aurez fini, rejoignez les autres élèves page 18.

Menu

Entrée

- Melon

Plat

- Flan de dinde,
blé, carottes

Dessert

- Crème pralinée.

28

Le cuisinier est furieux : on a subtilisé des objets aux cuisines ! Vite, retrouvez-les et rendez-les lui pour apaiser sa colère. Pour savoir ce qui leur manque, observez bien le cuisinier et ses deux marmitons. Ils ont d'habitude le même matériel.

Le menu ne semble pas au goût de tous les enfants. Certains se sont même débrouillés pour préparer des surprises. Saurez-vous trouver lesquelles ? Pour cela, comparez le menu affiché au mur avec le contenu des assiettes.

Après le repas, vous pourrez aller en salle d'arts plastiques, page 10, ou vous occuper des animaux, page 22.

Les petits sont bien embêtés : on a caché les cinq palets multicolores avec lesquels ils jouent à la marelle. Aidez-les à les retrouver.

Quand vous aurez fini, observez les tracés dans la cour. Pour connaître le numéro des pages où vous pouvez vous rendre, additionnez les résultats des participants à un même jeu. Vous avez la possibilité d'y aller, jusqu'au moment où la cloche retentira. Il sera alors temps de rejoindre la page 32.

Dans la bibliothèque, il est interdit de parler. Mais chacun respecte le silence à sa manière : vos adversaires usent de moyens originaux pour communiquer discrètement. Identifiez-les tous et observez bien leur matériel. Avec un peu de chance, vous devriez en trouver un exemplaire dans la salle. Ainsi, vous pourrez écouter leurs messages et ne plus vous laisser surprendre !

À l'issue de la séance, vous retournez en classe. Allez page 8. Vous pouvez aussi apporter au maître ce que vous aurez trouvé. Rendez-vous alors page 12.

En vous penchant pour secouer le tampon et le chiffon, vous découvrez ce surprenant spectacle : les oisillons sont dérangés par la sonnerie à chaque récréation. Vite, trouvez de quoi assourdir la cloche, puis cherchez un nouvel endroit où vous pourrez installer la nichée, et le moyen de l'atteindre.

Dans la cour, on fait des photos de classe. Les élèves ne sont pas les seuls à faire des farces. Un adulte en a préparé aussi. Les voyez-vous ? Retournez ensuite à votre place.

Rendez-vous page 20.

Victoire ! Vous avez prouvé votre innocence !
Mais vous n'avez toujours pas retrouvé vos précieuses clés…
Une petite voix vous chuchote à l'oreille qu'en observant bien autour de vous
vous découvrirez peut-être le vrai coupable…

Pour la leçon d'histoire, le maître a laissé un document
à la photocopieuse. Il vous a chargé de le reproduire
et de le lui rapporter. Hélas, Barnabé a dû passer par là
avant vous : il a modifié le montage, et le résultat est
inutilisable ! Vous pouvez aller chercher le maître,
et dénoncer les mauvais élèves : allez page 12.

Dans le cas contraire, il vous faut reconstituer le document
original au plus vite. Vous aurez juste le temps de le
photocopier à nouveau. Agissez rapidement, puis retournez
dans la cour, page 30.

SUR LE PARQUET, CHAUSSURES RYTHMIQUES OBLIGATOIRES.

40

C'est l'heure que vous préférez, celle où vous allez
au gymnase ! Mais les enfants de cette classe ne respectent
visiblement pas les consignes de sécurité… Retrouvez tous ceux qui n'ont
pas une tenue adaptée, puis assurez-vous que les agrès ne présentent aucun
danger – dans le cas contraire, signalez les défauts au maître, qui les réparera.

Il ne vous restera plus qu'à retourner page 30.

Au tableau, un petit malin s'est amusé à déformer le début de la fable copiée par le maître… Vite, corrigez-la! Mais pour ce faire, il vous faut un tampon effaceur et un feutre noir. Cherchez autour de vous, mais soyez attentif : un seul feutre de cette couleur est disponible. Ensuite, retournez page 30.

Vous avez à peine eu le temps de vous ranger, quatre silhouettes massives ont surgi de l'ombre… L'un de ces personnages est le remplaçant annoncé. Pour le reconnaître et ne pas faire d'impair, dépêchez-vous d'identifier les autres. Des petits détails devraient vous permettre de deviner la profession de chacun.

Aujourd'hui, c'est votre tour d'être le « chef de classe » – chaque jour, un élève est désigné pour distribuer les cahiers, nourrir les animaux, et s'occuper du rangement des locaux.

On va partir pour la piscine, mais avant cela, vous avez le choix : rendez-vous page 24 si vous décidez d'aller préparer la classe, ou page 26, si vous voulez d'abord inspecter le local des animaux.

45